kotobuki

vivre heureux grâce

aux 10 clés d'Okinawa

crédits photos des illustrations intérieures

illustrations via diverses photos prises sur place

« nifedebiru » (qui signifie « merci » dans la langue d'Okinawa), je remercie sincèrement

ma femme, mes enfants, famille et amis, pour leurs encouragements

les Okinawanais, pour leur patience, leur partage et leur gentillesse

les dojos Bushido de Landerneau et Okinawa Karatedō Kobudō Shōrin-ryū Bushinkan de Nanjo pour leur support

le Nanjo City Hall pour ses éclairages sur la culture, l'histoire et la vie à Okinawa

Hesna Cailliau, auteure, conférencière et experte de la culture asiatique, pour sa bienveillance et pour la préface du livre

à propos de l'auteur

un karatéka qui s'improvise écrivain…

suite à un voyage familial …

avec le souhait de partager un certain art de vivre observé sur place à Okinawa

Dans son ouvrage, Hervé Stéphanus renoue avec la tradition des écrivains-voyageurs : la joie d'un voyage n'est pas dans le fait de parvenir à réaliser le circuit d'un tour opérateur mais dans les surprises inattendues qui surviennent chemin faisant et en prenant son temps. Et ce sont celles-ci que l'auteur fait partager à ses lecteurs pour leur plus grand bonheur.

En passant plusieurs semaines consécutives à Okinawa, un nom qui n'évoque pour l'Occident qu'une bataille sanglante dans le Pacifique, Hervé nous montre toute la différence entre le savoir qui s'acquiert d'un coup d'aîles d'avion et la connaissance qui naît d'échanges de cœur à cœur avec des personnes rencontrées sur place. Il ressort de cette expérience de terrain, la découverte de traditions à l'envers des nôtres et toujours vivantes : c'est parce que les habitants d'Okinawa ont su les garder intactes, qu'ils ont pu affronter les aléas et les tragédies de leur histoire et garder confiance en eux, ce qui leur a permis de rebondir à chaque catastrophe: « Sept fois à terre, huit fois debout » dit l'adage.

Ce « petit » peuple nous offre 10 clés pour vivre heureux, très largement inspirés d'un « mix de cultures ancestrales », la leur à laquelle s'ajoutent celles des pays voisins. Du confucianisme, ils ont retenu le respect des

Anciens et l'amour du travail qui rime avec service: le bonheur est dans le lien plus que dans le bien; du bouddhisme la valeur de l'instant présent, permettant de jouir de la vie : « carpe diem »; de leur propre culture, ils ont reçu en héritage le karaté et son crédo « un esprit sain dans un corps sain », ainsi que la communion avec la nature.

Les Okinawanais nous invitent implicitement à renouer avec nos propres traditions, à retrouver les pépites d'or enfouies sous la poussière du temps car un peuple coupé de ses racines perd la foi en son devenir. Traditions et progrès loin de s'opposer, se fécondent mutuellement. Le fait d'être bien enraciné dans ses traditions, donne envie d'aller voir ce qui se passe ailleurs et de s'en inspirer, tout en gardant sa singularité. Hervé nous en donne ici un bel exemple.

Hesna Cailliau

A l'occasion d'un voyage familial, nous avons décidé de nous rendre à Okinawa. D'une part car c'est le berceau du karaté (je suis pratiquant de karaté), d'autre part car c'est un lieu à la croisée des cultures chinoises, taïwanaises, coréennes et japonaises.

Une fois sur place, nous avons découvert qu'il existait effectivement un ancrage fort au niveau du karaté et du multiculturalisme, mais, également, un art de vivre propre à Okinawa, un art de vivre qui respire le bonheur.

Pour les touristes qui visitent l'Asie, les agences de voyages proposent souvent uniquement deux jours de visite à Okinawa. De notre côté, nous avons souhaité y passer plusieurs semaines consécutives, pour vivre au maximum en compagnie des Okinawanais, pour s'immerger et bien comprendre les choses.

Nous avons ainsi découvert qu'Okinawa a une histoire particulière, dispose de secrets et d'une philosophie de vie sans doute unique au monde.

J'ai ensuite eu envie de partager cette expérience par ce livre écrit essentiellement sur place au fil de l'eau pendant notre séjour (souvent le matin de bonne heure), complété par plusieurs recherches et mis en forme après notre retour.

L'archipel Ryū-kyū est situé entre Taïwan, la Chine, la Corée et le Japon, avec, ainsi, des influences multiples de ces différents pays. La culture d'Okinawa est d'ailleurs appelée « chanpurū des cultures », c'est à dire un mix de différentes cultures.

Les trois royaumes formant alors le royaume de Ryū-kyū qui étaient régulièrement en guerre furent unifiés en 1429 par Sho Hashi. Sho Hashi était originaire de la région de Nanjo, au sud-est de l'île.

Sho Hashi n'était pas issu d'une lignée royale, mais était "simple" citoyen, ce qui est assez unique en soi et encore plus à l'époque.

Autre particularité, le royaume Ryū-kyū était organisé de manière matriarcale. Les femmes tenaient en effet le premier rôle, avec les grandes prêtresses notamment, appelées les kimi, qui étaient souvent des membres de la famille royale. Les kimi priaient pour que les habitants soient en bonne santé et pour que les cultures soient abondantes.

Le royaume Ryū-kyū connut ainsi une belle prospérité grâce à sa stabilité politique et à sa localisation géographique centrale permettant des liens commerciaux et culturels forts avec les pays voisins, la Chine notamment.

Pendant plusieurs décennies, il a en effet existé une proximité commerciale mais également culturelle forte entre le royaume Ryū-kyū et la dynastie chinoise Ming.

Sous le règne de Sho Shin (1477-1526), roi du royaume Ryū-kyū, un décret instaura d'ailleurs un état confucianiste. Sho Shin souhaitait une société pacifique. Il fut alors interdit à la population de posséder des armes. Ce qui était assez singulier à cette période.

Au printemps 1609, Okinawa fut envahie par 3 000 samouraï de Satsuma, qui venaient de l'île japonaise de Kyūshū.

Les samouraïs de Satsuma ne rencontrèrent pas de grosse opposition compte tenu que détenir des armes n'était pas autorisé. Les samouraïs prirent le dessus, notamment au château de Shuri, palais des rois.

Les représentants japonais des Satsuma renforcèrent l'interdiction de détenir des armes à Okinawa.

Ainsi, pendant ces années sans autorisation de détenir une arme, les habitants d'Okinawa ont appris à se défendre avec des techniques à mains nues pour partie provenant de Chine, ainsi qu'avec des outils agraires, le tout constituant sans doute les prémisses du karaté (initialement « to-de », « main de Chine ») et du kobudō.

Le royaume de Ryū-kyū, dont le centre était le château de Shuri passa sous tutorat du shogun japonais et perdit alors une grande partie de son indépendance.

Le navigateur français La Pérouse fut le premier à piloter une expédition qui passa par les îles Ryū-kyū avec ses deux navires, L'Astrolabe et La Boussole, le 4 mai 1787. Les équipages purent avoir des échanges amicaux avec les insulaires. Dans son journal, La Pérouse note qu'il est « assez porté à croire » que dans « la grande isle de Likeu » (Ryū-kyū), les Européens « seraient reçus et trouveraient peut-être à y faire un commerce aussi avantageux qu'au Japon. ».

Lors de son exil à Saint Hélène, autour de 1815, Napoléon 1er fut informé par le navigateur Basil Hall qu'il existait à Okinawa un royaume pacifique dans lequel les armes n'étaient pas autorisées. Napoléon ne pouvait pas imaginer qu'un peuple puisse ne connaître ni guerre, ni arme. Cet épisode relatif à Napoléon est bien connu des Okinawanais.

Okinawa devient la 47ème préfecture du Japon en 1879. Sho Tai, le dernier roi du royaume Ryū-kyū a été destitué à ce moment-là.

Lors de la seconde guerre mondiale, la bataille d'Okinawa devait initialement durer trois jours. Elle aura en réalité duré trois mois, du 1er avril au 22 juin 1945. Cette bataille, opposa les USA (représentés par le général Buckner, décédé pendant la bataille) et le Japon (représenté par le général Ushijima, qui a mis fin à ses jours juste avant la fin de la bataille).

Ces affrontements ont entraîné autour de 215 000 morts (dont environ 150 000 Okinawanais, engagés ou civils, environ 50 000 soldats japonais et 15 000 soldats américains).

A fin de la guerre, et avant de mettre fin à ses jours, l'amiral japonais Minoru Ota a envoyé un télégramme à l'état-major militaire japonais demandant que le Japon puisse avoir une considération spéciale pour les Okinawanais, compte tenu de leur situation et de leur courage pendant la guerre.

Il s'agit de la bataille considérée comme la plus sanglante du Pacifique. Il semblerait que l'armée japonaise ait dépeint l'armée américaine de telle manière à ce que cela amène de nombreux habitants d'Okinawa à se jeter des falaises, ou encore se faire collectivement exploser dans les grottes utilisées comme refuge, plutôt que de devenir prisonniers des Américains.

La violence extrême des combats et la lutte acharnée de la défense japonaise à Okinawa auraient remis radicalement en cause le plan américain de conquête du Japon et auraient amené les américains à décider de l'utilisation de la bombe atomique à Hiroshima et à Nagasaki pour amener le Japon à arrêter la guerre.

Les habitants d'Okinawa n'étaient pas, a priori et à l'époque, réellement considérés par les Japonais.

Puis, Okinawa est devenue américaine après la seconde guerre mondiale, à partir du 7 septembre 1945. Le

USCAR (United States Civil Administration of Ryū-kyū Islands) s'est progressivement installé.

Les USA ont mis en place des événements sportifs, la fourniture d'équipements pour les écoles etc. La culture américaine s'est ainsi diffusée autour des bases des GIs.

Okinawa est redevenue japonaise le 15 mai 1972. Ceci eut plusieurs conséquences, par exemple le passage du dollar au yen, la conduite à droite vers la conduite à gauche etc.

Ces nombreux changements ont amené une immigration d'Okinawa vers d'autres pays, comme par exemple le Brésil et les USA dont Hawaï.

Sans roi à partir de 1979, le château de Shuri a été utilisé comme école et comme sanctuaire jusqu'en 1945. Durant la seconde guerre mondiale, le château a été détruit, avant d'être restauré dans les années 1970 pour devenir progressivement un lieu touristique.

Grâce à la fidélité historique de sa reconstruction, le château de Shuri a été classé au patrimoine mondial de l'UNESCO, en novembre 2000, avec l'ensemble architectural qui l'entoure.

Quelques mois plus tôt, le 22 juillet 2000, le château de Shuri accueillait le 26ème sommet du G8. Une photo a été prise devant le palais de Shuri à cette occasion en présence de Tony Blair, Bill Clinton, Jean Chrétien, Gerhard Schroeder, Yoshiro Mori, Vladimir Poutine, Romano Prodi, Guiliano Amato et Jacques Chirac.

Le 31 octobre 2019, un incendie a ravagé le château. Dans le passé, y compris à l'époque médiévale, le château avait déjà été détruit à plusieurs reprises et toujours reconstruit.

« nana korobi yaoki » est un proverbe qui se traduit en français par "tombe sept fois, mais, à chaque fois, relève-toi".

Depuis plusieurs dizaines d'années, le lien entre de nombreux pays et Okinawa s'est renforcé grâce à l'essor du karaté, qui amène de nombreux karateka à se rendre à Okinawa chaque année, et réciproquement avec des karateka okinawanais qui se rendent régulièrement dans de nombreux pays à travers le monde.

Enfin, « Uchina-Guchi », la langue d'Okinawa, qui est différente du japonais, continue d'être parlée encore aujourd'hui par les Okinawanais, appelés dans leur langue les « Uchinanchu ».

"Merci", par exemple, se dit "arigatô" en japonais et "nifedebiru" dans la langue d'Okinawa.

Il en va de même pour "bienvenue", qui se dit "yôkoso" en japonais et "mensore" dans la langue d'Okinawa.

Ou encore pour « bonjour » qui se dit « konnichiwa » en japonais et « haisai » pour les hommes ou « haitai » pour les femmes, dans la langue d'Okinawa.

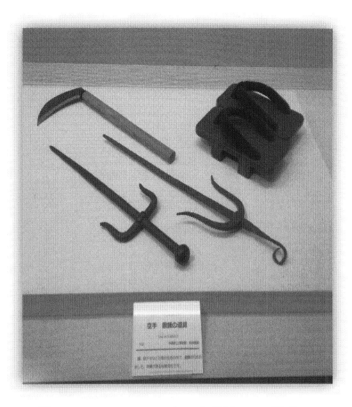

Photos, entre autres, de saï, Okinawa Kaikan,
Naha

Image du château de Shuri, Naha

Image du château de Shuri, Naha

Image du château de Shuri, Naha

Photo de la couverture d'un livre sur Sho Hashi,
premier roi du royaume des Ryū-kyū, Sho Hashi
était originaire de Nanjo, sud est d'Okinawa

最後の琉球国王・尚泰
The Last King of Ryukyu Kingdom: Sho Tai

Photo de Sho Tai, le dernier roi des Ryū-kyū,
prefectural history museum, Naha

Photo d'Okinawanais réfugiés pendant la seconde
guerre mondiale, Prefectoral Peace Museum,
Mabuni Hill, sud ouest d'Okinawa

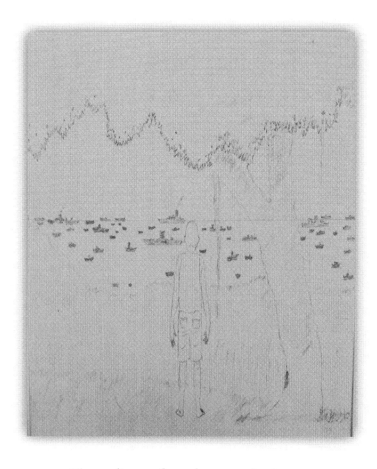

Photo d'un enfant observant les bateaux
américains arriver à Okinawa lors de la seconde
guerre mondiale, Prefectoral Peace Museum,
Mabuni Hill, sud ouest d'Okinawa

Nanji, mascotte de Nanjo, sud est d'Okinawa

Photo de Minoru Ota, écrivant un télégraphe
pour souligner le courage des Okinawanais
pendant la seconde guerre mondiale,
Underground Navy Museum

Echange sur la vie, l'histoire et la culture
d'Okinawa, Nanjo City Hall, sud est d'Okinawa

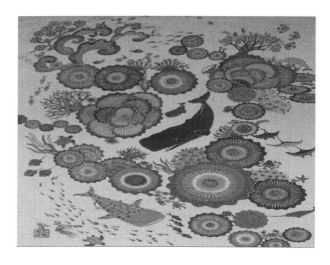

Art Bingata, Okinawa

G8 réuni à Okinawa en 2000, devant le château de
Shuri. Okinawa

A plusieurs égards, Okinawa est un endroit unique au monde.

Honto est l'île principale d'Okinawa et fait autour de 1 200 km^2. Naha en est la ville principale. Okinawa compte autour de 160 îles et autour de 1,4 million d'habitants.

Okinawa est inscrite au patrimoine mondial de l'humanité par l'UNESCO.

Okinawa, surnommée la Hawaï japonaise, c'est aussi un paysage de carte postale: des plages de sable fin (d'ailleurs considérées comme les plus belles plages du Japon), une mer bleu azur, des spots de plongée mondialement reconnus et des lieux de shooting photos uniques.

Il est recensé 2 000 espèces de poissons. Sont présentes également des raies manta et tortues en mer.

Le tourisme ne s'est développé que récemment. Actuellement, 6 millions de touristes visitent Okinawa sur une année.

Les touristes sont essentiellement japonais, chinois, coréens et taiwanais.

A noter toutefois que l'île est soumise à de nombreux typhons, autour de 45 par an, dont certains peuvent être particulièrement dévastateurs, notamment sur la période

entre mars et septembre, période qui est appelée la «
saison des typhons ».

Aharen beach, bleu de kerama, iles de kerama,
tokashiki jima, à l'ouest d'Okinawa, accessible
depuis le port de Tomari, Naha

A Okinawa, il fait le meilleur vivre le plus longtemps au monde: cinq fois moins de maladies graves, avec la proportion de centenaires en bonne santé la plus élevée.

15% des super-centenaires (>110 ans) de la planète vivent à Okinawa alors que la population d'Okinawa ne représente que 0,002% de la population mondiale.

Une phrase est gravée sur un rocher à Okinawa (cf. photo en page suivante), au village d'Ogimi: « À 70 ans vous n'êtes qu'un enfant, à 80 vous êtes à peine un adolescent, à 90 si vos ancêtres vous appellent à les rejoindre, demandez-leur d'attendre jusqu'à 100 ans, âge auquel vous reconsidèrerez la question ».

Il est constaté une proportion beaucoup moins importante d'AVC (Accident Vasculaire Cérébral) et de cancer ainsi qu'une densité osseuse plus importante que la moyenne.

Les centenaires sont en bonne santé, en effet uniquement 3% des centenaires sont grabataires.

La longévité des centenaires ne proviendrait majoritairement pas des gènes.

En effet, les Okinawanais qui ont déménagés au Brésil par exemple ont une espérance de vie de 17 ans plus faible que ceux résidant à Okinawa.

Pierre gravée à Ogimi Village, nord d'Okinawa

« À 70 ans vous n'êtes qu'un enfant, à 80 vous êtes à peine un adolescent, à 90 si vos ancêtres vous appellent à les rejoindre, demandez-leur d'attendre jusqu'à 100 ans, âge auquel vous reconsidèrerez la question »

Mais... il y a un mais... car les habitudes de vie des anciennes générations se perdent avec les plus jeunes générations.

Après la fin de la 2ème guerre mondiale, Okinawa a été américaine jusqu'en 1972 avant d'être « rétrocédée » au Japon.

Pour autant, 50 000 soldats américains sont toujours à Okinawa, leurs bases représentant autour de 20% de la surface de l'île.

La logistique, les avions et hélicoptères qui atterrissent et décollent avec un flux quasi-permanent marquent défavorablement l'empreinte carbone de l'île.

Le sol serait pollué à l'acide perfluorooctanesulfonique autour de la base américaine de la base de Futenma à Ginowan.

D'autres substances toxiques auraient également été découvertes autour de la base de Kadena.

Des villages américains se sont construits et fonctionnent selon le mode de vie américain.

Or, les Okinawanais n'ont pas été habitués à cette culture occidentale et l'ont découverte quasiment du jour au lendemain.

Beaucoup de jeunes d'Okinawa ont à présent adopté un mode de vie occidental, notamment s'agissant de l'alimentation de type fast food.

Cela génère des problématiques importantes de surpoids et de problèmes cardio-vasculaires.

Également, une partie des jeunes générations d'Okinawa se désintéressent des activités sportives régulières.

Ainsi, Okinawa connaît une baisse de l'espérance de vie pour les plus jeunes générations. Les moins de cinquante ans ont la consommation de hamburger par personne, le taux d'obésité et le taux de décès prématuré lié à des problèmes cardio-vasculaires, les plus élevés du Japon.

Le mode de vie d'Okinawa qui a été tant vertueux est donc à présent menacé. Il est d'ailleurs dit que, dorénavant à Okinawa, « les vieux vivent vieux mais les jeunes meurent jeunes. ».

Toutefois, du fait de l'influence américaine sur l'île, le baseball prend de l'ampleur.

Peu de jeunes pratiquent le karaté à Okinawa. Paradoxalement, c'est pourtant à Okinawa qu'est né le karaté.

Certains habitants de l'île apprécient ce brassage des cultures et considèrent que l'influence américaine est un apport positif, comme les apports d'autres cultures dans le passé d'Okinawa.

Rappelons qu'Okinawa, du fait de sa situation géographique a déjà connu d'autres influences, comme, pendant plusieurs siècles, celle de la Chine avant celle du Japon,

Mais une autre partie de la population regrette et rejette cette présence américaine qui perdure et manifeste régulièrement pour le départ des GIs.

Les élus de la métropole japonaise ne s'opposent pas à la présence américaine au niveau de la préfecture japonaise d'Okinawa.

L'élection de gouverneurs Okinawanais qui s'engagent à lutter contre la présence américaine est vécue comme un revers par les élus de la métropole japonaise, qui sont alors amenés "en représailles", à baisser les subventions de l'Etat japonais à destination d'Okinawa.

Cette situation ne facilite pas l'intégration d'Okinawa au Japon.

le kotobuki index, index de propension à vivre heureux dans la durée

Le questionnaire ci-dessous a vocation à mesurer son kotobuki index, c'est à dire sa propension à vivre heureux dans la durée.

Le questionnaire peut être rempli pour disposer d'un point de départ.

Chaque question fait l'objet d'une réponse selon l'échelle suivante: pas du tout (1), un peu (2), moyennement (3), beaucoup (4) et tout à fait (5).

Le questionnaire étant composé de 10 questions, le kotobuki index varie ainsi de 10 en index le plus faible à 50 en index le plus élevé.

Le questionnaire et la détermination du kotobuki index ont simplement une vocation pédagogique, sans autre prétention.

Deux questionnaires identiques sont présentés : le premier, en page suivante peut être réalisé en amont des actions à décider, et le second, cf. « en résumé » ci-dessous, peut être réalisée quelques mois après la mise en œuvre de ses actions, pour, le cas échéant, observer l'évolution.

questionnaire kotobuki index	1	2	3	4	5	total
1/ la relaxation: est-ce que je parviens à me relaxer dans mon quotidien ?						
2/ le lien social: suis-je bien entouré dans ma vie de tous les jours ?						
3/ le travail: ai-je le sentiment de rendre service et de me sentir utile à mon travail ?						
4/ la diététique quotidienne: ai-je de bonnes habitudes alimentaires ?						
5/ les seniors: les anciens dans mon environnement sont-ils autonomes et respectés ?						

questionnaire kotobuki index	1	2	3	4	5	total
6/ les centres d'intérêts: est-ce que je pratique ce qui me passionne ?						
7/ un état d'esprit: est-ce que je prends régulièrement le temps de prendre le temps ?						
8/ l'environnement de vie: mon environnement de vie est-il bon ?						
9/ le corps: ai-je une activité physique régulière ?						
10/ la nature: ai-je le sentiment d'être en harmonie avec la nature ?						
total						

Analyse du score, selon le kotobuki index :

-        10 à 20 : votre propension à vivre heureux dans la durée est potentiellement modérée en l'état. Des actions d'améliorations pourraient être menées.

-        21 à 40 : votre propension à vivre heureux dans la durée est présente et pourrait toutefois être améliorée sur plusieurs aspects.

-        41 à 50 : votre propension à vivre heureux dans la durée est forte, tout en pouvant encore être renforcée.

les 10 clés d'Okinawa

1/ mokuso - la relaxation

Les Okinawanais ont une hygiène de vie mentale forte. Ils paraissent apaisés. Cela pourrait en partie provenir du fait qu'ils prennent le temps de se relaxer et de méditer.

S'octroyer un moment au calme dans une journée est quelque chose que l'on ne fait sans doute pas suffisamment.

Or, prendre soin de son mental est probablement aussi important que prendre soin de son corps.

Se relaxer, méditer permet de trouver une cohérence, une unité entre le corps et l'esprit.

Cela revient à prendre le temps de s'écouter, à prendre une distance vis à vis de événements de la vie et de ses émotions, à être connecté à soi et aux autres, vivants et disparus.

La relaxation aide à apaiser les situations de stress, le stress étant un frein au bien-être et sans doute un accélérateur de vieillissement.

La relaxation permet de gérer des situations d'adversité en relativisant les événements qui se présentent.

Cela permet aussi de prendre le temps de contempler ce qui est autour de soi, "ici et maintenant", comme les paysages, le bruit avoisinant ou le mouvement de sa respiration.

C'est également prendre le temps de réaliser la chance d'avoir des personnes de valeur autour de soi, sa famille, ses amis, ses voisins.

Cela permet ainsi de percevoir les choses comme des cadeaux de la vie, à chérir et à apprécier.

Les cours de karaté démarrent et se terminent d'ailleurs par une courte méditation, appelée « mokuso ».

2/ ichariba choodee - lien social

Les Okinawanais cultivent un bon équilibre affectif et sont à la recherche du bien-être des autres autant voire plus que de leur propre bien-être.

La vie de couple et la vie de famille sont basées sur la simplicité, la franchise et la solidarité.

« ichariba choodee » est un dicton à Okinawa qui signifie traiter chaque personne que l'on rencontre comme si elle était de sa famille.

Également, « ongaeshi » signifie remercier en souhaitant donner en retour ce qui a été donné.

Les rapports humains sont ainsi sains et apaisés, emprunts de respect, de solidarité et de bon sens.

Le fait d'aider l'autre procure un sentiment d'utilité et donne du sens à ce qui est fait. Cela est donc vertueux pour celui qui donne, autant que cela est utile pour celui qui reçoit.

Un élément important réside dans l'éducation à l'entraide que les enfants et adolescents reçoivent dans leur quotidien par l'exemple de leurs aînés.

3/ yumaru - rendre service au travail pour se sentir utile

Les informations ci-dessous proviennent de plusieurs échanges avec des professionnels okinawanais travaillant sur place.

Le travail est perçu comme un terreau unique qui permet de s'entraider : cela se dit "yumaru" à Okinawa.

Cela consiste à rendre des services à ses collègues, à ses clients, etc et ainsi d'en ressentir une réelle satisfaction.

Le travail est ainsi perçu comme un moyen qui permet de rendre service. Les Okinawanais aiment beaucoup rendre service. Ils aiment donc beaucoup leur travail.

La rémunération est perçue comme une contrepartie de son travail, non pas pour soi-même, mais pour aider ses enfants, sa famille, ses proches et son entourage.

S'entraider, c'est donner, mais c'est également accepter de recevoir.

L'entraide renforce le sens donné à ce qui est fait, pour les autres et pour soi.

Il convient également de s'assurer que l'on est en adéquation avec soi-même, qui l'on est, et avec son activité professionnelle.

« Choisissez un travail que vous aimez et vous n'aurez pas à travailler un seul jour de votre vie. » (Confucius)

Le risque en cas d'inadéquation est de consommer beaucoup d'énergie, de se fatiguer de manière excessive et donc d'accélérer son vieillissement.

De même, il semble important de maintenir le stress à un niveau raisonnable, de manière à ce que cela soit positif et constructif.

Pour se sentir bien au travail, un autre critère est de respecter chacun, quel que soit le niveau de responsabilité, les plus débutants autant que les plus expérimentés, les plus jeunes autant que les plus anciens, d'être soi-même respecté et de se respecter soi-même.

Lorsque les travaux sont réalisés, être fier de son travail et de tâches effectuées est une source de satisfaction également.

Il faut sans doute savoir à l'avance que tout ne peut être parfait dans son environnement de travail et qu'il convient de s'accommoder de situations occasionnellement un peu inconfortables.

Il est observé à Okinawa une grande fidélité à l'entreprise, mais avec des changements réguliers de postes qui sont privilégiés au sein de la même entreprise, plutôt que de changer d'entreprise.

Le temps consacré aux activités sociales et aux sorties festives en groupe entre collègues est important et permet de nouer et renforcer les liens.

En réalité, la notion du succès du groupe, de l'entreprise, est beaucoup plus important que la notion de succès individuel.

« L'homme de peu s'occupe de ses intérêts personnels et l'homme de bien s'occupe des intérêts collectifs. » (Confucius)

L'individu est au service du groupe au niveau du travail qui est effectué, quel que soit le niveau de responsabilité et quel que soit l'importance de son travail. « L'équipe est l'eau et le responsable est le bateau. » (Confucius)

A Okinawa, la durée de travail hebdomadaire est de 40 heures. Le sujet professionnel est pris avec sérieux, avec une rigueur et un engagement fort.

Le rôle du travail est central pour les Okinawanais, avec pour autant le souhait que cela soit concilié avec un quotidien plaisant, intégrant sa propre organisation et sa vie familiale

L'état d'esprit observé est positif et constructif, dans un mode de recensement de solutions plutôt que dans un mode d'identification de problèmes. « Celui qui veut vraiment faire quelque chose trouve un moyen, les autres des excuses. » (Confucius)

Au sein de l'entreprise, la relation maître élève semble très présente. À l'instar de l'apprentissage d'un art martial, la relation est forte entre celui qui transmet son savoir et celui qui apprend, dans un environnement harmonieux empreint de respect et de fidélité. Cela apporte une satisfaction intime des deux côtés, la fierté de la transmission et la fierté de l'apprentissage.

« Donne un poisson à un homme et tu le nourris pour une journée, apprend lui à pêcher et tu le nourris pour sa vie entière. »

En cas de conflit, 3 manières de réagir existent et semblent reprises des arts martiaux: go no sen (réagir après l'agression), sen no sen (réagir pendant l'agression) ou sen sen no sen (réagir avant même l'agression).

Savoir arbitrer entre l'action et la non-action est une action en elle-même. Choisir l'action implique dès lors un engagement complet sans hésitation.

Choisir la non-action peut occasionnellement être la meilleure réponse possible. Par exemple il peut être plus adapté de ne pas surenchérir en cas d'agression plutôt que d'entrer en confrontation.

La non action est ainsi une action elle-même.

Il est accepté, et même encouragé, de tergiverser pendant une période avant une prise de décision. Une première option peut être posée, puis une autre à l'opposé sans que cela ne pose ne moindre problème.

Puis, au gré des options possibles et via plusieurs échanges, une décision est prise et est appliquée.

L'approche est circulaire et non carrée, à l'instar du drapeau japonais, et encore plus du drapeau de la préfecture d'Okinawa (cf. photos des drapeaux plus bas)

Egalement, les échanges sont axés sur la logique ondon, que l'on pourrait qualifier d'arrêt sur image, lorsque les choses ne se passent pas comme prévu, de manière à comprendre et corriger les sujets au fil de l'eau.

Ceci permet au global d'être dans une démarche d'ajustement permanent.

De tradition asiatique, il est préférable d'être un roseau qui se courbe face au vent plutôt que d'être un chêne qui ne plie pas mais qui finit par être déraciné si la tempête est trop forte.

« gujuh taygay » signifie coriace (gujuh) cool (taygay) dans la langue d'Okinawa. Il s'agit plus précisément d'un mélange entre être positif, calme et également objectif et rigoureux. Au fond, le caractère est coriace et l'état d'esprit est cool.

Ceci s'applique dans les situations du quotidien, par exemple pour régler des différends. Cela se fera de manière cool et détachée dans une certaine mesure, et pour autant avec une forme de fermeté et une réelle volonté de trouver une solution.

Les entrepreneurs qui ont cette manière de fonctionner vivent en général de manière apaisée au long court.

La manière dont les Okinawanais gèrent le sujet de la présence américaine qui perdure contre leur gré à Okinawa reflète assez bien le « gujuh taygay »: une approche pacifiste sur la forme mais très déterminée sur le fond.

Bien se sentir dans son activité professionnelle est un des éléments fondamentaux d'un bonheur durable.

Du fait de son histoire et sa position géographique, Okinawa est bercée par l'influence chinoise. Quelques pensées chinoises ou confucéennes ont été présentées plus haut à ce titre.

Drapeau japonais ci-dessus

Drapeau de la préfecture d'Okinawa ci-
dessus

4/ nuchui gusui naibitan – une diététique médecine de la vie

Je souhaite préciser que je ne suis ni nutritionniste ni diététicien. Les éléments ci-dessous sont issus d'observations de l'hygiène de vie autour de la diététique à Okinawa.

Les Okinawanais pensent "hara hachi bu" avant leur repas. Cela signifie ne manger qu'à 80% de sa satiété perçue, car l'estomac met une quinzaine de minutes à envoyer au cerveau le signal de satiété. Ainsi, lorsque l'on est déjà potentiellement rassasié sans le savoir, on aurait en fait continué de manger au-delà de son seuil de satiété.

Dit autrement, à 80% de perception de notre satiété, on n'a plus faim, mais on ne le sait pas encore, le cerveau en sera informé plusieurs minutes après.

Les habitants d'Okinawa sont peut-être une des seules populations à travers le monde à fonctionner de cette manière, en se restreignant délibérément sur la quantité de nourriture.

Cette forme de frugalité permet de garder la ligne d'une part, et d'autre part, de réduire de 20% (100% - 80 %) la production des radicaux libres qui se créent lorsque l'on s'alimente.

Les radicaux libres sont des oxydants, des déchets métaboliques qui oxydent le corps comme la carrosserie d'une voiture. Le corps dépense ainsi de l'énergie pour faire face et éliminer ces radicaux libres. Les radicaux libres sont des déchets corrosifs qui endommagent les molécules qui nous composent, qui consomment de l'énergie et qui par conséquent accélèrent notre vieillissement.

Les antioxydants qui seront évoqués ci-dessous permettent de détruire les radicaux libres, et donc de réduire par exemple le risque de DMLA (Dégénérescence Maculaire Liée à L'Age / yeux) ou encore de réduire l'oxydation des graisses, processus nocif pour l'organisme.

En occident, souvent, en cas de stress, de sensation de manque (arrêt du tabac par exemple) ou de contrariété, le réflexe pour se détendre peut être de se remplir l'estomac en mangeant, potentiellement de manière excessive.

Or, il est possible de passer d'une alimentation source de plaisir, à une alimentation qui peut être autant source de plaisir mais également saine et utile pour le corps.

Manger lentement aurait également des vertus: permettre au cerveau de réaliser que l'estomac est en train d'être rassasié, cela permet également de mâcher plus efficacement, facilitant d'autant le travail de l'estomac.

L'utilisation de baguettes plutôt que des couverts traditionnels, permet de manger plus lentement.

Nuchi gusui naibitan, qui signifie la nourriture (« naibitan ») est la médecine (« gusui ») de la vie (« nuchi ») dans la langue d'Okinawa est une formule qui considère chaque aliment comme un facteur de bonne santé.

Il existe aussi l'expression "kusui-mun naibitan", qui considère que l'aliment est un médicament pour son corps.

Cela revient à se poser la question: ce que je m'apprête à manger est-il un bon médicament pour mon corps ?

Ainsi, la nourriture est perçue comme une médecine douce et préventive. Alors que dans la plupart des pays, la médecine intervient a posteriori, dans un fonctionnement plutôt curatif.

Voici ci-dessous quelques bonnes pratiques de la diététique d'Okinawa, transposable pour l'essentiel en occident:

• pauvre en sucre (pas ou peu de dessert), le sucre peut être perçu comme le terreau du développement de maladie. Ainsi, réduire drastiquement sa consommation de sucre pourrait réduire drastiquement le risque de développement de maladie

• pauvre en sel, pas d'ajout de sel lors des cuissons et des repas

• pauvre en graisse (lipides) et en calories

• pauvre en viande, la viande est consommée une ou deux fois par semaine uniquement, notamment avec du « réfute », qui signifie porc, cuit longuement et à l'étouffée pour l'alléger au maximum. Le porc contiendrait moins de cholestérol et moins de calories que le poulet ou le bœuf

• pas ou très peu de laitage

• évitement des aliments industriels pour limiter l'exposition aux risques chimiques et pesticides, recherche du bio et du naturel

• orienté légumes (tel que carottes, oignons, choux, aubergines, poivrons) et végétaux

• patate douce (beni imo), concentrée en sucre lent, et qui a la propriété de remplir l'estomac. La patate douce a été importée de Chine par Sokan Noguni, connu comme le Imo King à Okinawa. Cet aliment est encore largement utilisé dans la cuisine okinawaienne et est source de vitamine C, de nutriments et de beta karotene (agent anti cancer)

- poisson riche en acide gras oméga-3 (le corps humain ne peut pas produire lui-même l'oméga 3), comme l'anguille, le thon et la bonite (qui ressemble au thon), cuisson à la vapeur ou à feu doux, pour préserver le maximum de nutriments
- des soupes, comme la soupe miso
- riz ou pâtes en accompagnement
- soja grâce à des plats comme le tofu
- des épices comme le curcuma, qui aurait de nombreuses vertus (antioxydant, anti cancer etc) et le gingembre. Les épices agissent comme un désinfectant pour le corps
- des piments, comme le wasabi yuzu
- grâces aux différents ingrédients, la cuisine d'Okinawa est réputée pour être "ajikuutaa" ce qui pourrait se traduire par « riche en goût »
- thé vert matcha, qui aurait la proportion d'antioxydants la plus forte au monde, 137 fois plus antioxydant que le thé vert classique
- fruits comme l'ananas, la mangue, l'orange, la carambole (à couper dans la largeur pour conserver la forme en étoile), la goyave (à râper), la pastèque, la papaye

Une diététique saine peut avoir comme vertu de faciliter le fonctionnement des intestins.

Cela permet de tendre vers un indice de masse corporelle satisfaisant, de tendre vers son « poids de forme ».

Certains aliments ont tendance à générer des infections au niveau des intestins. Au contraire, les légumes et les fruits favorisent le travail intestinal et sont donc bienvenus pour l'estomac.

Cette diététique pourrait permettre de différer partiellement l'obsolescence programmée du corps humain.

A Okinawa, les aliments sont rangés au sein de l'habitation de sorte qu'ils ne soient pas à portée de vue, pour ne pas qu'ils soient une tentation en dehors des repas.

Au fond, l'homme vient de la frugalité, pas de l'opulence. Revenir à la frugalité, c'est revenir à ses origines. C'est cette modération qui est prônée à Okinawa.

A titre d'information, sont recensées ci-dessous quelques particularités culinaires d'Okinawa:

- goya, qui est un concombre amer, fort antioxydant, qui réduit le niveau de sucre dans le sang, facilite la régulation de la transpiration et apporte des vitamines, le tout étant utile en particulier l'été lors des fortes températures
- daikon, qui est un gros radis blanc
- mozuku, qui sont des algues de couleur marron foncé, le mozuku contient du fucoïdane qui est connu pour son fort pouvoir antioxydant. Le mozuku peut être consommé frit (tempura) ou avec une sauce vinaigrée
- algue nori
- umibudo (raisin des mers)
- herbes consommées en tisane comme de l'armoise (artemisia)
- feuille de getto (alpinia zerumbet) de la famille du gingembre, qui regorge de resvératrol, antioxydant que l'on retrouve dans le raisin
- nono, fruit avec 3 fois plus de vitamine C que les oranges. Pouvant se consommer en poudre (une poudre marron), le nono est prisé pour son jus de noni. Le nono renfermerait potentiellement des substances susceptibles de retarder le vieillissement de la peau et de protéger l'organisme contre les maladies dégénératives telles que le cancer
- shikuwasa, petit agrume vert riche en acide citrique et contenant 400 fois plus de polyphénols que les autres agrumes, le polyphénol bénéficie d'un pouvoir antioxydant
- des racines

- la bagasse, poudre de sucre de canne, connue pour ses vertus facilitant la digestion
- suppon, à base de tortue à carapace molle, considéré comme un booster énergétique

Ainsi, au-delà du contenu de l'assiette, il s'agit en fait d'un changement global de paradigme s'agissant de son alimentation.

Arbre de nono, connu pour son jus de noni,
magasin kurkuma chinen, Nanjo, sud est
d'Okinawa

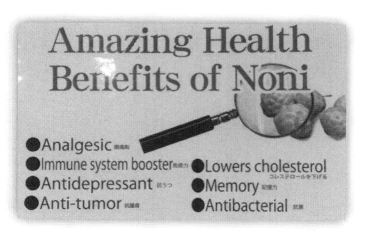

Goya, concombre amer d'Okinawa

Restaurant, Emi no mise, longevity lunch, le
repas des centenaires, Ogimi Village, nord
d'Okinawa

Les seniors sont perçus à Okinawa comme « ayakaru », ce qui signifie « porte-bonheur ».

Les anciens vivent souvent avec leurs enfants et famille, soit dans la même maison, avec un étage dédié ou dans une maison à proximité.

De cette manière, il n'existe pas d'isolement des seniors et les liens intergénérationnels sont très forts.

Bien vivre au sein de sa maison semble quasiment sacré. Des shīsā, « siisaa » dans la langue d'Okinawa, représentant un animal demi lion et demi chien, protègent d'ailleurs chaque maison.

On y retrouvera, à l'extérieur devant la porte principale ou sur le toit, à droite, le shīsā mâle la bouche ouverte pour faire peur aux mauvais esprits, et à gauche, le shīsā femelle la bouche fermée pour retenir dans la maison les bons esprits.

Les plus jeunes aident les seniors en leur permettant de vivre en proximité d'eux et les seniors aident les plus jeunes.

Les seniors participent à la vie de famille avec de multiples services comme garder les enfants, préparer des repas ou s'occuper du linge et de la propreté de la maison. Il s'agit ici d'une entraide intergénérationnelle.

Chacun est gagnant au fond: les enfants et petits-enfants sont reconnaissants pour ce coup de main de leurs aînés, et les seniors sont gagnants également car cela leur procure une activité et une utilité, le tout dans un esprit d'entraide familiale.

En réalité, il s'agit en fait d'aimer et être aimé au sein de la famille, sentiment qui permet de se sentir bien, de se sentir désiré, utile, attendu et ainsi de donner du sens à sa vie

Il n'existe d'ailleurs que très peu de maisons de retraite à Okinawa.

Ce sont des seniors qui aiment la vie: « ping ping colori » comme dit un ancien de l'île avec le sourire.

Les anciens restent également impliqués dans des activités professionnelles ou en tant que bénévole. C'est pour cette raison que le mot « retraite » n'a pas de réelle traduction dans la langue d'Okinawa.

Ainsi, la vie active se poursuit tout au long de la vie. Cela peut être la vente d'article de plages en boutique, la vente de légumes à des restaurants ou autres activités.

Une estimation à un 1/4 temps travaillé, comme contribution à la société, amène le respect des actifs et permet donc aux seniors d'être plus intégrés à la société.

Le « moai » est très présent. Il s'agit d'un réseau de proches géographiquement, avec des rencontres régulières. Le moai joue un rôle important dans la socialisation des anciens. Les échanges peuvent porter sur la vie de famille ou sur les études des petits-enfants. Cela peut également porter sur de l'entraide financière.

Cette notion de groupe permet à chacun de pouvoir compter sur un réseau fort, où chacun peut aider et se faire aider.

Les anciens continuent de s'exercer même à un âge avancé. Il n'est d'ailleurs pas rare de voir des centenaires continuer de pratiquer le karaté en groupe, moins physiquement que les plus jeunes pratiquants, mais de manière plus fluide et plus interne.

Centenaire en train de s'occuper de son
jardin, Ogimi Village, nord d'Okinawa

Shīsā, Okinawa

Il s'agit de sa passion, son "ikigaï", sa raison d'être, sa vocation, la raison pour laquelle on se lève le matin.

Trouver son "ikigaï" revient à être attentif à ce que l'on aime, pour le découvrir, avant et afin de pouvoir le réaliser.

« ikigaï » n'a pas réellement de traduction, et se trouve au croisement entre ses passions, sa mission de vie, sa vocation voire sa profession.

Il s'agit ici d'une notion connue à travers le Japon.

Cela peut concerner son métier (et surtout le sens que l'on donne à son activité professionnelle), la famille, les amis, les loisirs sportifs, culturels ou artistiques, le bénévolat, les activités cultuelles, la lecture etc.

Après l'avoir identifié, il s'agit de s'organiser pour le vivre, ce qui permet de se réaliser pleinement d'être heureux car connecté à qui l'on est au fond.

A noter que son « ikigaï » peut évoluer au fil du temps et de son parcours de vie.

"uchina taimu" pourrait se traduire en langue d'Okinawa par prendre le temps de prendre le temps.

On entend également « nankurunaisa » qui signifie : « prends les choses comme elles viennent ». C'est une philosophie de vie positive. C'est également soigner le spirituel autant voire plus que le matériel.

L'accumulation matérielle ne semble pas être un objectif prioritaire à Okinawa. Il s'agit plutôt de vivre simplement, quasiment en version minimaliste s'agissant de l'organisation matérielle.

D'ailleurs, les habitants d'Okinawa ne semblent pas attachés à un but précis. Comme l'indique Hesna Cailliau dans son livre « Le paradoxe du poisson rouge », « La fixation sur un but présente deux inconvénients majeurs : elle est source de tension qui dilapide l'énergie vitale de l'homme et en conséquence raccourcit sa vie, elle ne permet pas de voir ce qui se passe à la hauteur du sol et donc de saisir les opportunités qui se présentent. »

Les Okinawanais ont un principe de base: la terre, les hommes, la vie auraient pu ne pas exister. Ainsi, le fait même d'exister est perçu positivement.

Cela revient à cultiver la joie de vivre et son sens de l'humour, de sourire (vitamine S / Smîle), de rire, de chanter, danser, de jouer ou d'écouter de la musique. Les habitants d'Okinawa apprécient beaucoup les festivals et en organisent tout au long de l'année. Les festivals sont rythmés par le calendrier solaire et par les saisons des cultures. Par exemple, la fête commémorative des disparus, appelée Obon, qui se tient en août, peut potentiellement avoir lieu à une date différente entre Okinawa et la métropole japonaise.

Il s'agit de profiter du moment présent, en toute simplicité, de profiter de ce qui est, pas de ce qui aurait pu être, de prendre le temps de prendre le temps, de ne pas faire plusieurs choses en même temps.

Les Okinawanais tâchent de ne pas perdre d'énergie dans l'énervement, la rancœur et l'animosité.

Les émotions négatives sont vues comme des émotions temporaires, à l'instar des nuages qui passent dans le ciel et qui disparaissent.

Ainsi, l'énergie n'est pas consommée à gérer les émotions négatives, ce qui accélérerait vraisemblablement le vieillissement.

Par exemple, si un bruit est désagréable à l'extérieur, ce bruit ne sera pas forcément perçu comme un bruit gênant et désagréable, mais uniquement comme un bruit, ce qu'il est, pas plus.

Ce mode de fonctionnement permet de ne pas s'accrocher aux choses gênantes, mais de simplement constater leur existence et de les laisser glisser.

De même, cela revient à être dans une logique d'amélioration personnelle permanente, à être aligné entre la personne que l'on est, son mode de vie et ses valeurs, à s'adapter naturellement aux nouvelles situations, sans s'accrocher aux habitudes par crainte du changement.

Cela permet aussi une forte résilience face à l'adversité.

Ci-dessus et ci-dessous, Festival Eisa, kokusai dori,
Naha

Festival Eisa, devant le Nanjo, Funakoshi
Community Center, Tamagusuku, Nanjo, sud
est d'Okinawa

« churasan » signifie « bel endroit » dans la langue d'Okinawa.

La luminosité est propice à la production de vitamine D, qui est elle-même importante pour protéger le corps.

Notre corps aurait besoin d'une exposition de 10 à 15 minutes de soleil deux fois par semaine.

Il convient toutefois de se protéger la peau pour éviter les coups de soleil, qui sont néfastes pour la peau. En effet, l'organisme se met en route pour remplacer les cellules mortes de la peau par des nouvelles, ce qui demande de l'énergie au corps, et donc accélère mécaniquement son vieillissement, au-delà du risque de développement ultérieur d'une maladie de peau.

Des températures globalement stables peuvent également jouer un rôle, lorsque la température ne varie pas d'une très grande amplitude entre les saisons.

Vivre dans un environnement avec une pollution réduite est un facteur majeur de santé et de bien-vivre. L'OMS (Organisation Mondiale de la Santé) indique qu'il existe plus de décès prématurés lié à la pollution que liés au tabac.

Devant notre maison en location,
Tamagusuku, Nanjo, sud est d'Okinawa

Fleur d'Hibiscus, Okinawa

Prendre soin de son corps et de sa santé fait partie intégrante du mode de vie d'Okinawa.

Les Okinawanais sont en veille par rapport aux signaux (douleurs, blocages etc) que le corps envoie.

Ils considèrent que notre corps est composé de 35 000 trillions de cellules. Ils remercient ainsi leurs cellules et les différentes parties du corps, considérant que c'est grâce à son corps que l'on peut vivre et pratiquer ses activités.

Il s'agit de prendre soin de son corps et de le prévenir de risque (comme le tabac etc).

La pratique physique quotidienne fait partie des habitudes des habitants d'Okinawa, intégrant une sollicitation du cœur par l'augmentation du rythme cardiaque.

Il est considéré que notre corps devrait pouvoir vivre approximativement et en moyenne jusqu'à 90 ans. Or, en moyenne, l'espérance de vie réellement constatée se situe plutôt autour de 75 à 80 ans. Ainsi, il serait possible de gagner 10 à 15 années de plus d'une vie satisfaisante en vivant un peu différemment les 75 à 80 premières années.

Cela passe par s'exercer au quotidien, par exemple monter des escaliers plutôt que prendre l'ascenseur, marcher plutôt que prendre la voiture.

Le credo du karaté, dont le berceau se trouve à Okinawa, est "un esprit sain dans un corps sain".

Voici quelques effets bénéfiques du karaté, qui sont similaires pour d'autres arts martiaux et de nombreuses autres activités physiques:

- permet d'être connecté à son corps
- exercices cardio-vasculaire qui contribuent à se maintenir en bonne santé
- aide l'équilibre et la posture
- rester calme sous pression, ce qui permet d'être moins tendu face aux difficultés de la vie quotidienne
- améliore la confiance en soi
- discipline qui peut être pratiquée en famille
- permet de se forger de nouvelles amitiés
- style de vie sain
- sans distinction de sexe, religion ou niveau social

La fatigue physique est également utile pour un sommeil de qualité.

Voici ci-dessous quelques particularités du karaté à Okinawa que j'ai pu recenser sur place :

• le karaté à Okinawa va bien au-delà du sport, va même au-delà de l'art martial, c'est un véritable art de vivre

• le dojo se trouve souvent au niveau de l'habitation du sensei

• une participation aux frais est remise au sensé pour son instruction

• le protocole est très important (par exemple le salut à l'entrée du dojo en arrivant et en repartant, ainsi que le salut debout et assis) et présence d'une "lineage table" au dojo, qui est une forme d'arbre généalogique des sensei précédent qui peut, selon le style de karaté pratiqué, remonter aux années 1700

• petit groupe d'élèves mais très grande proximité, quasiment une famille, avec le sensei. Un moment pendant le cours est d'ailleurs dédié à un temps personnel entre le sensei et chaque élève. Le lien est très fort entre les élèves également

• échauffement personnel avant le début du cours et importance du travail musculaire (makiwara, chiichi, sachii, sac de sable, etc) et importance du renforcement, des avant-bras notamment

• pratique régulière du kobudō (bo, saï et autres) très liée au karaté

• beaucoup de répétitions de mouvements pour rechercher l'ancrage et l'automatisme

• les pratiquants à Okinawa ne disent pas "oss" comme à la métropole japonaise et à travers le monde pour acquiescer et montrer son engagement à s'améliorer, mais disent plutôt "hai"

- Gichin Funakoshi n'est pas très célébré à Okinawa. Le style shotokan, dont il est le fondateur, est très présent à la métropole japonaise et à travers le monde, mais n'est pas où peu présent sur l'île. Gichin Funakoshi, qui est pourtant originaire d'Okinawa, peut être perçu comme ayant en quelque sorte "japonisé" le karaté, étape qu'il a sans doute jugée nécessaire pour permettre une démocratisation du karaté au-delà d'Okinawa

- un intérêt moindre pour le karaté de la part des jeunes générations (davantage intéressées par d'autres activités comme, par exemple, le baseball) et donc un enjeu à moyen terme pour perpétuer le karaté sur place à Okinawa

- "c'est l'état d'esprit, plus que la technique, qui constitue l'essence et la particularité du karaté d'Okinawa"

Pacific Hotel, Naha, avec Takuya Kawasaki et des
membres du dojo Okinawa Karatedō Kobudō
Shōrin-ryū Bushinkan

Dojo - avec Takuya Kawasaki et des membres
du dojo Okinawa Karatedō Kobudō Shōrin-ryū
Bushinkan, Nanjo-city, sud est d'Okinawa

It is the spirit, rather than just the techniques, that forms the core of Okinawa karate,

Kaikan - OKIC (Okinawa Karate Information Center), Naha

Concernant les croyances spirituelles, il existe une croyance à Okinawa qui se distingue du shintoïsme et du bouddhisme, qui sont prédominantes au niveau de la métropole japonaise. Cette croyance est basée sur la nature elle-même, avec des lieux de recueillement, appelés utaki.

L'homme est perçu à Okinawa comme une partie de l'univers, en non pas comme le centre de l'univers. L'homme fait donc partie d'un grand tout.

Cela requiert de l'humilité pour reconnaître que l'on fait partie d'un ensemble plus grand que soi, et que l'on n'est pas le centre de cet ensemble, et que cet ensemble l'emporte sur l'individu.

Ainsi, moins de poids pèse sur l'individu lorsque les choses ne vont pas tout à fait comme souhaité.

Le corps humain est constitué à 90% d'eau, l'eau est la nature donc notre corps est la nature.

Les Okinawanais considèrent la nature comme un bien sacré. Des îles, comme Kudaka, sont d'ailleurs entièrement considérées comme des lieux naturels sacrés.

Les décisions de la vie quotidienne à Okinawa prennent en compte le sujet de la nature et de l'environnement de manière naturelle. Beaucoup d'habitants d'Okinawa cultivent des légumes dans leur propre jardin, ce qui renforce leur lien avec la nature.

Les tombes, en forme de tortue, sont de très grande taille, permettant aux familles de se recueillir ensemble, et ne sont pas regroupées dans un cimetière, mais positionnées individuellement en proximité de habitations ou dans la nature.

Sa propre mort et la mort de proches ne semblent pas vécues à Okinawa comme source d'anxiété.

La vie est considérée comme provenant de la nature, la mort est perçue comme un retour à la nature, permettant de renaître de la nature à nouveau.

Cette continuité dans la vie favorise les Okinawanais à ne pas se focaliser sur l'apparence cosmétique de leur corps, considérant que ce dernier les accompagne uniquement pendant un temps donné. Cela réduit ainsi la perception des petits défauts ou imperfections physiques.

Cela minimise également la consommation d'énergie qui pourrait exister dans le cas contraire.

Du fait de cette continuité, il est rare d'entendre à Okinawa "on n'a qu'une vie" ou de voir des personnes souhaiter à tout prix marquer de leur empreinte (politique, grand projet, entreprise, etc) leur passage sur terre.

Ainsi, les choses se font, mais de manière paisible et apaisée, sans avoir le sentiment de courir après le temps.

C'est ici sans doute une des clés du bonheur qui est ressenti de manière très palpable à Okinawa.

Valley of Gangala, Nanjo, sud est d'Okinawa

« Les arbres qui marchent »

Naminoue temple, Naha

Sefa utaki, site sacré du royaume Ryū-kyū, sud est
d'Okinawa

Cap Chinen, sud est d'Okinawa

Kameko baka d'Okinawa, tombe en forme de
carapace de tortue

les 10 clés d'Okinawa :

1/ mokuso - la relaxation

2/ ichariba choodee - lien social

3/ yumaru - rendre service au travail pour se sentir utile

4/ nuchui gusui naibitan - une diététique médecine de la vie

5/ ayakaru - le respect des seniors

6/ ikigaï - trouver et réaliser sa passion

7/ uchina taimu - un état d'esprit

8/ churasan - un bon environnement de vie

9/ ganjyuu - l'entretien de son corps

10/ kudaka - le lien avec la nature

Les 10 clés d'Okinawa sont traduites ci-dessous en exemples de décisions personnelles, pour que cela puisse se concrétiser dans le quotidien, considérant que chacun est au gouvernail de son art de vivre.

1/ se relaxer

2/ traiter chacun comme s'il était de sa famille

3/ rendre service au travail pour se sentir utile

4/ manger à 80% de sa satiété

5/ respecter les seniors

6/ vivre ses passions

7/ suivre une philosophie de vie positive

8/ vivre dans un bon environnement

9/ entretenir son corps

10/ être en lien avec la nature

NB: ne pas hésiter à refaire le questionnaire kotobuki index (cf. ci-dessous) quelques mois après avoir mis en œuvre les décisions relatives à son art de vivre.

questionnaire kotobuki index	1	2	3	4	5	total
1/ la relaxation: est-ce que je parviens à me relaxer dans mon quotidien ?						
2/ le lien social: suis-je bien entouré dans ma vie de tous les jours ?						
3/ le travail: ai-je le sentiment de rendre service et de me sentir utile à mon travail ?						
4/ la diététique quotidienne: ai-je de bonnes habitudes alimentaires ?						
5/ les seniors: les anciens dans mon environnement sont-ils autonomes et respectés ?						

questionnaire kotobuki index	1	2	3	4	5	total
6/ les centres d'intérêts: est-ce que je pratique ce qui me passionne ?						
7/ un état d'esprit: est-ce que je prends régulièrement le temps de prendre le temps ?						
8/ l'environnement de vie: mon environnement de vie est-il bon ?						
9/ le corps: ai-je une activité physique régulière ?						
10/ la nature: ai-je le sentiment d'être en harmonie avec la nature ?						
total						

Analyse du score, selon le kotobuki index :

\-   10 à 20 : votre propension à vivre heureux dans la durée est potentiellement modérée en l'état. Des actions d'améliorations pourraient être menées.

\-   21 à 40 : votre propension à vivre heureux dans la durée est présente et pourrait toutefois être améliorée sur plusieurs aspects.

\-   41 à 50 : votre propension à vivre heureux dans la durée est forte, tout en pouvant encore être renforcée.

Okinawa est île singulière, qui dispose de pratiques vertueuses, avec un bien être qui se ressent et une philosophie de vie unique.

Mais les plus jeunes générations suivent moins le mode de vie de leurs aînés.

Ainsi, la vocation de ce livre est de faire en sorte que ces clés, ces secrets, qui continuent d'être mis en pratique, notamment par la partie la plus senior de la population, ne se perdent pas et que, au contraire, cet art de vivre puisse perdurer à l'avenir, à Okinawa et au-delà d'Okinawa.

kotobuki

« kotobuki », le titre du livre, signifie « longue vie » dans la
langue d'Okinawa

bibliographie

Buettner Dan, Blue Zones, 9 lessons for living longer

Beillevaire Patrick, Présences françaises à Okinawa : de Forcade à Haguenauer

Cailliau Hesna, Le paradoxe du poisson rouge

Curtay Jean-Paul, Okinawa, un programme global pour mieux vivre

Dalai Lama, L'Art du Bonheur

David-Néel Alexandra, Voyage d'une parisienne à Lhassa

Dufour Anne, Okinawa, le meilleur régime au monde

Greger Michael, How not to die

Johnston Jeremiah, Okinawa Island Tour

Juster Jean-Charles, Passé et présent des arts du spectacle okinawanais

Marx Thierry, La Stratégie de la libellule

Suzuki Makato, Willcox Craig, Willcox Bradley, the Okinawa way

Williamson Mark, Action for Happiness

Mibaru beach, Tamagusuku, Nanjo, sud est
d'Okinawa

première page de couverture : photo à notre arrivée à Okinawa, Mibaru beach, Tamagusuku, Nanjo, sud est d'Okinawa

table des matières

crédits photos des illustrations intérieures 3

remerciements...5

à propos de l'auteur...7

préface...9

la genèse du livre 11

l'histoire d'Okinawa 13

un endroit unique au monde 31

des centenaires qui vivent heureux............................37

mais... une évolution préoccupante pour les plus jeunes générations 39

le kotobuki index, index de propension à vivre heureux dans la durée 43

les 10 clés d'Okinawa...49

    1/ mokuso - la relaxation...................................49

    2/ ichariba choodee - lien social.........................51

    3/ yumaru - rendre service au travail pour se sentir utile...53

    4/ nuchui gusui naibitan – une diététique médecine de la vie 61

    5/ ayakaru - le respect des seniors 73

6/ ikigaï - trouver et réaliser sa passion 79

7/ uchina taimu - un état d'esprit 81

8/ churasan - un bon environnement de vie 87

9/ ganjyuu - l'entretien de son corps 91

10/ kudaka - le lien avec la nature..................................99

conclusion 113

kotobuki...115

bibliographie 117

illustrations 119

copyright...123

contact 129

à retenir...130

copyright

International Standard Book Number (ISBN)

ISBN : 978-2-9572022-0-1

EAN (European Article Number)

EAN : 9782957202201

Délivré par l'AFNIL

Agence Francophone pour la Numérotation Internationale du Livre

ISBN : 9782957202201

OVHcloud

référence : PP_FR9490936 et FR34538072

domaine : okinawa-kotobuki.com

email : contact@okinawa-kotobuki.com

Archivage sécurisé et certifié AFNOR (norme NF Z 42-013 marque NF 461)

Référence INPI : DSO2020005391

INPI, Institut National de la Propriété Intellectuelle

Administrée par l'OMPI, Organisation Mondiale de la Propriété Intellectuelle (World Intellectual Property Organization), la Convention de Berne établit les principes fondamentaux que les États signataires doivent garantir dans leurs politiques et législations en matière de droits d'auteur. La protection de droits d'auteur est accordée aux œuvres dans les 178 pays parties à cette Convention.

Parc de l'aquarium Churaumi, Motobu, nord ouest
d'Okinawa

Vue depuis le château Tamagusuku gusuku, Nanjo,
sud est d'Okinawa

contact

contact@okinawa-kotobuki.com

vivre heureux grâce aux 10 clés d'Okinawa

1/ mokuso - la relaxation

2/ ichariba choodee - lien social

3/ yumaru - rendre service au travail pour se sentir utile

4/ nuchui gusui naibitan - une diététique médecine de la vie

5/ ayakaru - le respect des seniors

6/ ikigaï - trouver et réaliser sa passion

7/ uchina taimu - un état d'esprit

8/ churasan - un bon environnement de vie

9/ ganjyuu - l'entretien de son corps

10/ kudaka - le lien avec la nature

Printed in Great Britain
by Amazon

45146928R00078